YCH! MAEN NHW'N NEIS

# Maen nhw'n neis

**Golygydd:**
**Myrddin ap Dafydd**

**Barddoniaeth i blant**

*Panel Golygyddol:*
*Hywel James, Rhiannon Jones, Elisabeth Evans*



*Argraffiad cyntaf: Mai 1998*

*Cyhoeddwyd dan gynllun comisiynu Cyngor Llyfrau Cymru.*

*Dymuna'r cyhoeddwyr gydnabod cymorth*
*Adrannau Cyngor Llyfrau Cymru.*



*Rhif Llyfr Safonol Rhyngwladol:*
*0-86381-491-3*

*Argraffwyd a chyhoeddwyd gan Wasg Carreg Gwalch,*
*12 Iard yr Orsaf, Llanrwst, Dyffryn Conwy.*
*☎ (01492) 642031*

# CYNNWYS

# Cyn mentro ymhellach . . .

Petai'r byd i gyd yn gerdyn post anferth, byddai'n lle diflas dros ben. Dychmygwch goed palmwydd, tywod euraid, haul tanbaid, awyr las a môr clir, diddiwedd. Gwych am ddiwrnod, braf am wythnos efallai, ond yn fuan iawn byddem wedi syrffedu a chael llond bol ar y perffeithrwydd undonog hwnnw.

Yna, dychmygwch gwmwl du yn dod ar draws y machlud oren un hwyrnos; dychmygwch asgell siarc yn codi o ddyfnder y tonnau; dychmygwch bry cop blewog yn disgyn o ddail y palmwydd a dychmygwch sarff streipiog yn llithro'n llyfn dros wyneb y traeth . . .

Ie, y pethau 'neis' sy'n ein denu i freuddwydio, ond oni bai am y pethau 'ych' hunllefus, ni fyddai ystyr i'n breuddwydion. Pendil rhwng yr 'ych' a'r 'neis' yw hi bob dydd a rhaid cyfaddef fod y pethau 'ych' yn drech wrth ddal y llygad a chydio yn y dychymyg o dro i dro.

Croeso i fyd y cas a'r cyntefig, yr erchyll a'r eliffantaidd a'r llysnafeddog a llyffantaidd. Ond un peth sy'n sicr – does dim byd yn ddiflas ynglŷn â nhw!

*Myrddin ap Dafydd*

## Colli Alwyn

Roedd y nos yn ddu tu allan
A'r gwynt yn chwipio'r coed
Pan sleifiodd Alwyn bach o'i lofft
Lawr grisiau'n ysgafn droed.

Ei fryd oedd gwylio, yn unig,
Rhyw ffilm drwy'r oriau mân,
I flasu peth o'r arswyd
Yng ngolau pŵl y tân.

Yn dawel yn y gwely,
Breuddwydiai'i dad a'i fam
Heb wybod am yr hunlle
Oedd yn nesu gam wrth gam.

Tra'n fflicio drwy'r sianeli
A syllu ar y sgrîn
Yn y lolfa ar ei liniau,
Roedd eu mab yn croesi'r ffin.

Wrth i gloch y fynwent daro
Yr awr dywyllaf un,
Roedd rhyw rym yn tynnu Alwyn
Yn dawel bach i'r llun.

Pan ddeffrowyd ei rieni
Yn fuan wedi dau
Gan sgrechian gwyllt o'r lolfa,
Roedd pob sianel wedi cau.

Daeth ei dad i lawr y grisiau
A safodd yn y drws,
Tarodd y swits heb feddwl
A diffodd ei fachgen tlws.

*Tony Llewelyn*

## Lladd nadroedd

Mi af ymhell i'r goedwig
Ar hyd y llwybr troed,
I hela'r neidr fwyaf
A welodd neb erioed;
Mae ganddi lygaid creulon
A dannedd hirion main,
Fe'i saethaf drwy ei chalon
A mynd â'i chroen i Nain.
O'r croen bydd Nain yn medru
Gwneud waled fawr i 'Nhad
A phwrs i Mam, yr harddaf
A'r llawnaf yn y wlad.
O'r croen a fydd yn weddill
Mi wnawn ni ffisig hallt
I'w werthu i hen bobol
Sy'n dechrau colli gwallt.
Ac felly mae 'na ffortiwn
I'w chael i mi a Nain
Wrth hela'r neidr greulon
Â'r dannedd hirion main.

*Edgar Parry Williams*

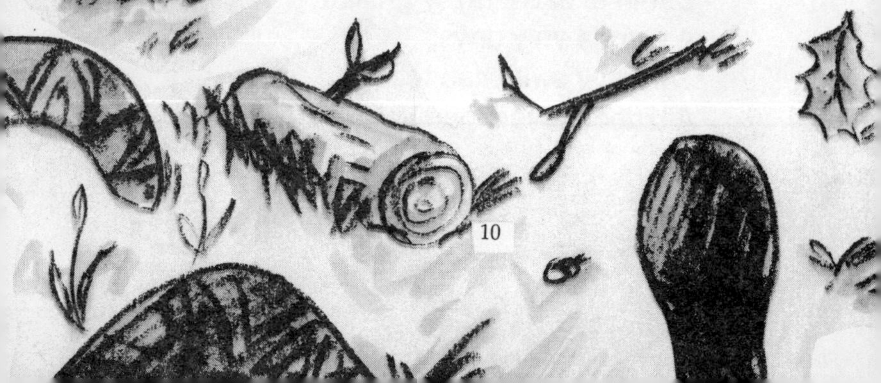

## U.F.O.

Pa mor bell 'di'r lleuad, Mam?
*Does gen i ddim syniad, Sam.*
Pam na wela i'r sêr yn glir?
*O, paid holi gymaint, wir.*
Pam mae haul yn llosgi croen?
*Taw, Sam bach; O! rwyt ti'n boen.*
MAM – mae roced fawr gerllaw.
*Sam, rwy'n darllen, taw o taw!*
MAM – mae'r drws yn agor nawr.
*Sam – os rhof i'r llyfr i lawr . . .*
MAM – mae dyn bach gwyrdd ei liw . . .
*Sam! rwy'n gwylltio, dos o 'nghlyw.*
MA . . . AM!!! – mae'n cerdded at tŷ ni,
*Dos i chwarae Sam, da thi!*

Ond wrth roi ei llyfr i lawr,
Clywodd Mam sŵn rhuo mawr,
Sŵn fel rhuthr gwyntoedd cry
Yn gwibio 'mhell uwchben y tŷ.

*Valmai Williams*

## Yn y nos

Yn y nos unig, ddistaw, ddu
Mae ’na sŵn
Camau
Ar y grisiau,
Hen ddyn cas, coes bren
A chap nos am ei ben.

Mae ’na sŵn
Tagu
Yn y cwpwrdd crasu,
Hen wrach
Wedi’i lapio mewn sach.

Mae ’na sŵn
Hen beswch
Yn y tywyllwch,
Yr afanc
Yn y tanc.

Mae 'na sŵn
Swishian – swishian
Yn y cyrtan,
Yr ysbryd meddal
Yn mynnu gafa'l, gafa'l.

Mae 'na SŴŴŴN
– Dwi'n ei glywed o hyd
Ond dydi Mam yn clywed dim byd!
'Dos i gysgu –
Mi edrychwn ni fory . . . '

. . . Mae fory'n bell!

*Dorothy Jones*

## Glaw

Mae hi'n bwrw aberoedd
a gwragedd a ffyn
a brithyll a mecryll
a defaid mawr gwyn:

mae hi'n bwrw boncyffion
a llechi a llau,
pob staen a fu'n styfnig
mae'r glaw'n ei lanhau:

fe fwrith yfory,
a thrannoeth, a thrwy
holl wyliau'r haf mwyach,
dywedwch chi, pwy

aiff allan i'r dilyw,
fe arhosa i fan hyn:
o leia ga i sgota
pan fydd y Wyddfa yn llyn.

*Iwan Llwyd*

## Y cipio

Wrth gerdded am adre
Rhyw noson o'r pentre
Fe glywais rhyw sŵn uwch fy mhen;
Edrychais i fyny
Dechreuais i grynu
Pan welais y golau'n y nen.

Fe ddaeth tuag ataf
Gan ddisgyn yn araf
Rhyw siâp oedd yn debyg i nyth;
Ac yna yn sydyn
Rhyw greadur bach melyn
A'm cododd i fyny yn syth.

Ei ddwylo mawr blewog
A'i fysedd ewinog
Yn cydio amdana i'n dynn;
Ac yna fel roced
I ffwrdd am ryw blaned
Ymhell draw'n y gofod mawr gwyn.

Dechreuais i grio
A sgrechian a chicio
A ffoi wnes am adre ar frys;
Yn hedfan drwy'r gofod
A dyma syfrdandod
Disgynnais o'r gwely – yn chwys.

*Eilir Rowlands*

## Dwy U.F.O.

Neithiwr,
O, do,
bu bron i mi â mynd o 'ngho
pan welais i – nid un,
ond dwy.
    Dwy U.F.O.

Dwy soser
yn hofran uwchben Coed y Plas,
– un las,
ac yna un goch
    yn ei dilyn ar ras.

Esgyn a disgyn
ar noson serennog oer,
a'r golau yn wincian a fflachio
    o dan y lloer.

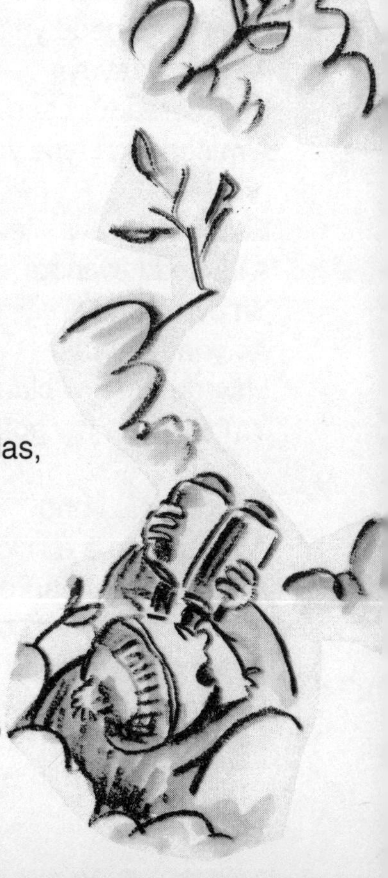

Dynion gwyrdd â thrwynau main
yn swatio mewn soseri,
pennau corniog, llygaid cochion
yn sbecian drwy'r ffenestri.

Sgimio'r toeau cyn ergydio'n
fflam i fyny'r dyffryn,
pelen wen yn rhwygo'r nen
a diflannu'n sydyn.

Neithiwr,
O, do,
bu bron i mi â mynd o 'ngho
pan welais i – nid un,
ond dwy.
Dwy U.F.O.

*Selwyn Griffith*

## Sŵn y distawrwydd

Yng nghanol y nos, pan mae popeth yn ddu
Mae rhywbeth yn cripian o gwmpas y tŷ;
Mae'n cuddio'n y cysgod yn slei dan y seld
Ond os ewch i edrych, fydd dim byd i'w weld.
A phan fydd y grisiau yn gwichian yn dawel
Neu'r llenni yn symud (er nad oes un awel)
Bydd sŵn y distawrwydd yn ddigon i ddychryn,
Bydd calonnau'n rhoi'r gorau i dician am dipyn.
Gwrandewch yn astud am droad y clo
Yna i mewn i'ch ystafell y daw –
BWCI BO!!

*Dewi Pws*

## Hunllef

Anghenfil o froc môr ar y traeth,
Yn gyrn, yn ddychryn i gyd.
O'm cwmpas ym mhobman,
Mae'r llygaid maharen,
Yn syllu, yn gwylio'n gas.
Llygaid maharen rhychog, crachog,
Yn llygadrythu.
Yn glynu ar greigiau duon
Dannedd y blaidd.
Gwyliant y fôr-forwyn drist,
Yn ymbalfalu yn y tywod,
Yn chwilio, yn chwilio,
Sŵn y gwynt yn chwibanu'n ei gwallt gwymon.
Beth yw'r sŵn crio?
Gwylan ar ôl gwylan, ar ôl gwylan,
Yn troelli o'm cwmpas, yn sgrechian.
'Ble mae pwrs y fôr-forwyn?'
'Mae o gen ti, gen ti.'
'Na, na ddim gen i,
Gofyn i Mair,
Sy'n cysgu ar ei chlustog esmwyth, binc.'

*Lis Jones*

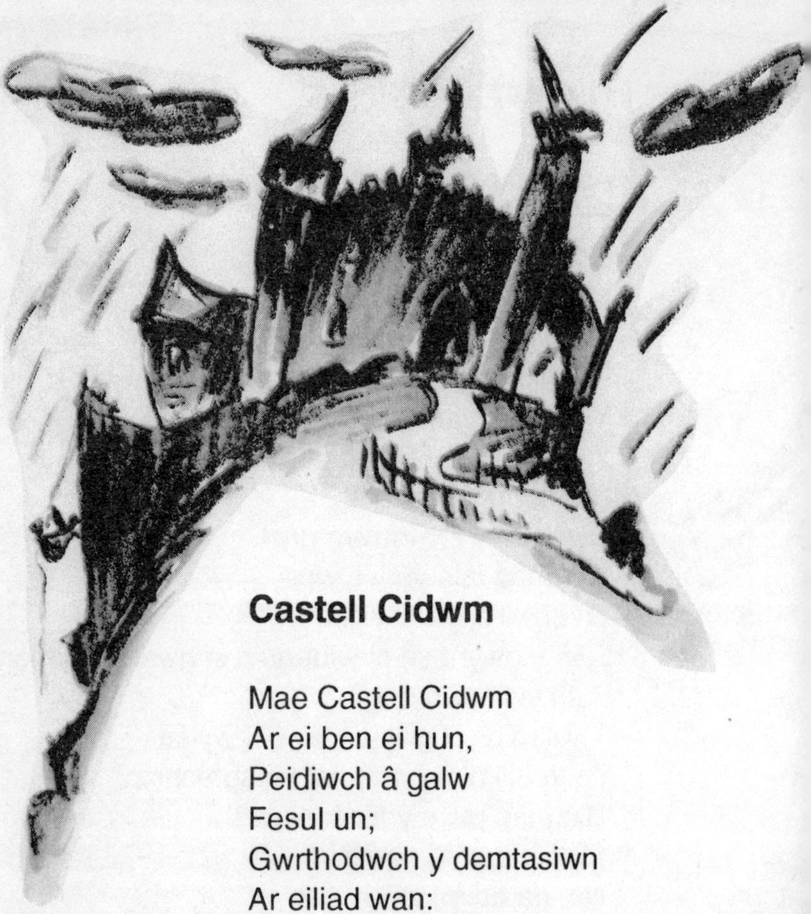

## Castell Cidwm

Mae Castell Cidwm
Ar ei ben ei hun,
Peidiwch â galw
Fesul un;
Gwrthodwch y demtasiwn
Ar eiliad wan:
Mae cysgodion tal
Yn tywyllu'r fan.

Mae'r bobl leol
Yn amharod i ddeud
Ond mae 'ngwaed i'n oeri
Bob tro maen nhw'n gneud:
Straeon am fleiddiaid
Yn udo'r nos
A llygaid cochion
Ar y rhos.

Dyfroedd duon
A chlogwyni hallt
A phenglogau gwynion
Tan gerrig yr allt;
Ambell i ddringwr
Ar goll yn y glaw:
Mae o'n dal ar goll
Heb asgwrn o braw'.

Ambell i heiciwr
A'r nos wedi'i ddal,
Drannoeth ei fagiau
Oedd wrth y wal
A neb wedi clywed
Na siw na miw,
Neb yn canfod
Dim un cliw.

Mae Castell Cidwm
Ar ei ben ei hun,
Mae o'n dal i dynnu
Ambell un;
Bydd cysgodion tal
Yn tywyllu'r fan
Pan ewch chi yno
Ar eiliad wan.

*Myrddin ap Dafydd*

## Noson Calan Gaeaf

Mae hi'n noson Calan Gaeaf!
Rhedwch, blant, ar frys i'r tŷ!
Gwelwch pwy sy'n hedfan heibio –
Yr hen wrach a'i chath fawr ddu!

'Sgwn i ble mae hi'n mynd heno
Ar ei hysgub drwy y nen;
Hen wallt blêr a dannedd budron
A het bigfain ar ei phen!

Mae'n cynnal gwledd fawr yn ei chastell
I blant ysgol, medde hi,
Ydw i am fynd i'r parti?
Na, dim diolch! – cerwch chi!

*Dorothy Jones*

## Trên sgrech

Yn y twnnel tywyll
ni welaf ddim.
Clywaf
udo blaidd,
crawcian broga,
a chwerthiniad gwrach.
Teimlaf
goesau pry cop,
croen anaconda
a chyffyrddiad ysbryd.
Aroglaf
lwch a lleithder.
Blasaf waed.

Yng ngolau dydd
gwelaf gwt di-raen,
gyda llinyn yn hongian o'r to,
plastig ar nenfwd,
stribedi o felfed ar waliau,
dŵr yn diferu
a recordydd tâp segur –
celfi a drawsnewidir
gan dywyllwch
i ddychryn y diniwed.

*Zohrah Evans*

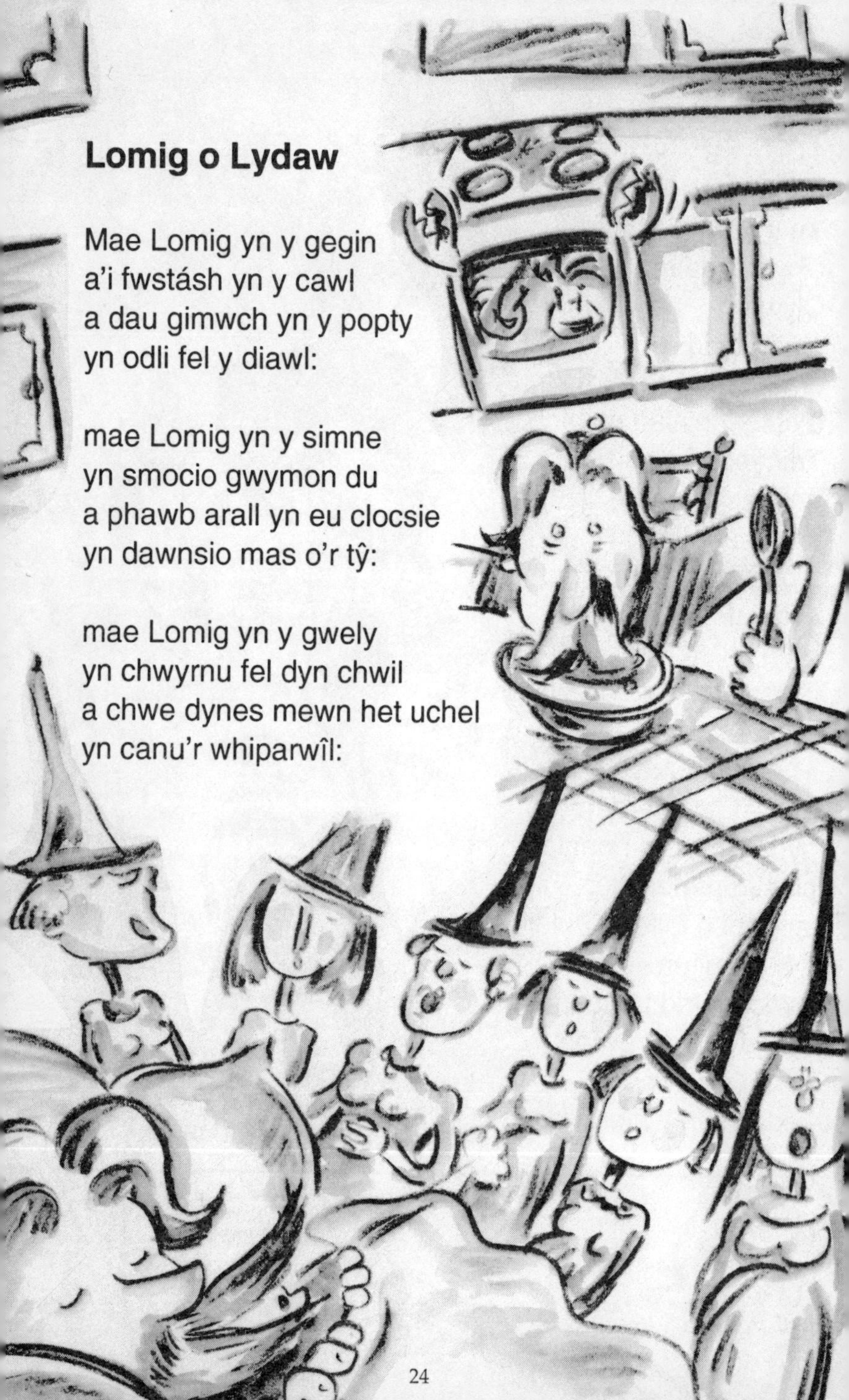

## Lomig o Lydaw

Mae Lomig yn y gegin
a'i fwstásh yn y cawl
a dau gimwch yn y popty
yn odli fel y diawl:

mae Lomig yn y simne
yn smocio gwymon du
a phawb arall yn eu clocsie
yn dawnsio mas o'r tŷ:

mae Lomig yn y gwely
yn chwyrnu fel dyn chwil
a chwe dynes mewn het uchel
yn canu'r whiparwîl:

mae Lomig wedi deffro
a'i fwyell yn ei law
a chwe mil o benabyliaid
yn droednoeth yn y glaw:

mae Lomig yn ddeg troedfedd
yn byw'n ei dŷ ei hun,
a hwnnw'n hir a thenau
yn union fel y dyn:

mae Lomig yn y ffenest
a golau yn y tŵr,
ac fe fydd Lomig adre
pan elwi di, dwi'n siŵr.

*Iwan Llwyd*

## Rydw i WEDI agor y ffenest, iawn?

Mae hi'n dywydd diosg siwmper,
Mae hi'n desog braf,
Ac mae'r rhesog acw a minnau
Yn cytuno ei bod hi'n haf.

Dawnsia mewn llinell anfoddog
Ymlaen, yn ôl ac ymlaen,
Yn sss . . . wnian am gael dianc
Wrth gosi a swsian y paen.

Chei di'm paill ar dy goesau'n fa'ma,
Dim neithdar i setlo dy sŵn
Dim arogl meillion y dolydd
Na thrwmped bysedd y cŵn.

Na! chei di chwaith mo 'mwyd i,
Dos â'th draed oddi ar yr ham!
'Melys, moes mwy,' efallai,
Ond shiw! gad lonydd i'm sgram.

O na! cer o'ma i suo,
Nid ffacbys na phicnic mo 'ngwallt,
Rydw i WEDI agor y ffenest,
Tria'i gweld hi, *'buzz off'*, tria ddallt!

*Ann Bryniog*

## Babi Draciwla

Pan mae Draciwla bach yn deffro
Ar ôl cysgu yn ei bram,
Mae'n sgrechian, nid am lymaid o laeth –
'Ga i ddiod o waed, plis Mam?'

*Zohrah Evans*

## Ffrind newydd Moc

Un tro, roedd 'na gr'adur bach unig
Yn byw ar ryw blaned fach gron
Oedd eto i gael ei darganfod
Gan ddynion y blaned fach hon.

Fe deithiai'r hen gr'adur bob diwrnod
Mewn roced hyd draffyrdd y ne',
Ond O! Dyna ddiflas oedd bywyd
I'n ffrind ni o dyn-a-ŵyr-ble.

Dim ffrindiau, dim rygbi, dim pictiwrs,
Dim chwarae pêl-droed yn y stryd,
Dim pop na dim creision, dim Spice Girls . . .
(Wel doedd o'm yn ddrwg iawn i gyd!)

Un diwrnod roedd wedi cael digon,
A dyma fo'n codi a mynd
Ar daith i bob rhan o'r bydysawd
I chwilio o ddifri am ffrind.

* * *

Mewn gwely yn 6 Stryd Dinefwr,
Roedd Moc yn breuddwydio yn braf
Am fynd gyda'i deulu i Gwbert
Ac aros 'na drwy wyliau'r haf.

Ond yna, fe ddeffrodd yn sydyn
A theimlodd ryw ias yn y gwynt,
Dechreuodd ei galon gyflymu
Yn gynt ac yn gynt ac yn gynt!!

Daeth golau mor llachar drwy'r ffenest
Fel na allai Moc weld dim byd
Ond teimlodd yn sydyn fod rhywun
Wrth ochr ei wely bach clyd.

'A ddylwn i agor fy llygaid?'
Oedd y cwestiwn ofynnai'r hen Moc,
Yn araf, yn ofnus, mi nath o . . .
Mi gafodd o andros o sioc!

Yno, mi roedd ’na greadur
Yn crynu fel deilen o’i flaen,
Creadur na welodd Moc Parri
Mo’i debyg o rioed, rioed o’r blaen.

Un llygad fel soser oedd ganddo
Yng nghanol ei dalcen bach pinc,
A blew fatha mwnci’n gorchuddio
Ei gorff . . . a dywedodd ’mhen chwinc –

‘Ma’n ddrwg gin i’th styrbio di, gyfaill,
Dio’m yn beth fydda i’n neud yn gyson,
Gadawa ’mi gyflwyno fy hunan i ti,
Fy enw yw Eilian ap Dycshon.

Dwi'n byw ar ryw blaned bellennig
Heb neb yna'n gwmni, wst ti,
A meddwl o'n i 'sat ti gystal
Â bod yn ffrind gora i fi?'

Roedd Moc erbyn hyn mewn perlewyg,
A medda fo rywsut fel hyn,
'Ocê . . . T'isio mynd rwla i chwara?'
'Ocê,' medda Eilian yn syn.

A dyma nhw ffwrdd yn y roced
A gweld rhyfeddodau di-ri,
O dipyn i beth roedd ein ffrindiau
Yn dechrau cael dipyn o sbri.

Fe aethant i Sadwrn a Fenws,
Planedau mawr poethion ac oer,
Gêm o griced â'r sêr, a brechdanau
O gaws o fynyddoedd y lloer.

Roedd Moc wrth ei fodd yn y gofod,
Ac Eilian mor hapus ei fyd
Fod ganddo o'r diwedd y cyfaill
Bu'n aros amdano cyhyd.

* * *

Fore trannoeth yn 6 Stryd Dinefwr
Fe ganodd y larwm ar gloc
Oedd yn deffro y teulu bob bore,
A deffro yn wir a wnaeth Moc.

'Wel, am andros o freuddwyd ge's neithiwr!
Cyfarfod gofodwr go iawn,
A hedfan ar wib drwy y gofod
A hynny 'mond mewn un prynhawn!'

Ond wrth i'r hen Moc dynnu'i 'jamas
Yn dal i freuddwydio am y roced,
Cafodd sgytwad pan ffindiodd o'n sydyn
Gnegwerth o gaws yn ei boced!

*Caryl Parry Jones*

## Bwli-boi

Nos da, Bwli-boi.
Ydi'r drws 'na wedi'i gloi?
Oedd 'na wich ar ben y grisiau?
Dos i weld be maen nhw eisiau –
Ydi dwrn y drws yn troi?
Welaist ti fflach o olau melyn?
Ydi'r gwely'n llawn o gelyn?
Wyt ti'n cael yr hyn ti'n roi?
Oedd 'na dap ar ffenest y llofft?
Paid â deud dy fod ti'n sofft!
Oes 'na gysgod draw yn fan'na?
Glywaist ti sŵn yn nhraed ei sana?
Oes rhywun yn dod yn ara' deg?
Ydi ofn yn crimpio dy geg
A chdithau heb un lle i ffoi?
Nos da, Bwli-boi.
Ydi'r drws 'na wedi'i gloi?

*Myrddin ap Dafydd*

## 'Sgin i'm ofn dim byd

'Sgin i'm ofn dim byd!
Bwcïod, bwganod,
bwystfilod, coblynnod,
corynnod, ellyllod,
eryrod, gwiberod,
gwrachod, llewod,
llygod, llwynogod,
malwod, morfilod.
'Sgin i'm ofn dim byd!

Dim ond rheina i gyd!

*Margiad Roberts*

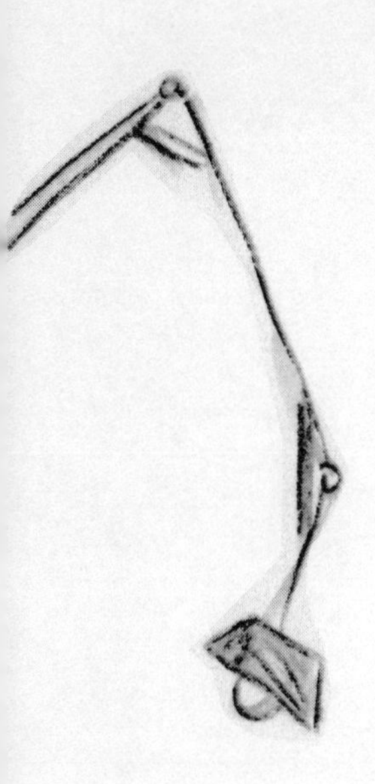

# Dannedd gosod Mr Drac

Dwi'n hen a hurt a gwanllyd
Mor hen â Despret Dan,
Dwi fel rhyw 'stiff' 'rôl gorwedd
Am oes dan feddau'r llan.
Mae 'mhegiau cnoi 'di slacio
A 'ngheg i'n wlyb a llac,
Ow! Rhaid cael dannedd gosod, Mr Drac

Pan o'n i'n Ddrac bach ifanc
Roedd gen i ddannedd cry',
Dim problem wrth eu suddo
I ganol gyddfau lu.
Rwyf nawr dan law y deintydd
A 'ngyrfa sy'n y cac!
Ow! Pasiwch ddannedd gosod, Mr Drac!

Ond er cael dannedd newydd
Ar gost yr NHS
Dyw'r pâr 'ma ddim yn brathu,
Ni welsoch 'rioed 'fath 'fess' –
Bwyd llwy a semolina
Nes gyrru dyn yn grac,
Oherwydd dannedd gosod Mr Drac.

Wrth agor ceg ryw noson
Am wddw Siân Pen Rwd,
Y dannedd gwirion gwympodd
Yn slwtsh i mewn i'r mwd.
Dyw siwpar-gliw yn da i ddim,
Tâp parsel, na Blw-Tac
I lynu dannedd gosod Mr Drac.

Gwnewch arch o ddu a sgarlad
I mi gael gorwedd lawr,
Rhowch bolyn drwy fy nghalon
Yng ngolau gwelw'r wawr.
A rhowch fy ffangs i orffwys
Gan sgwennu ar y plac –
'Y rhain oedd dannedd gosod Mr Drac'.

*Dyfan Roberts*

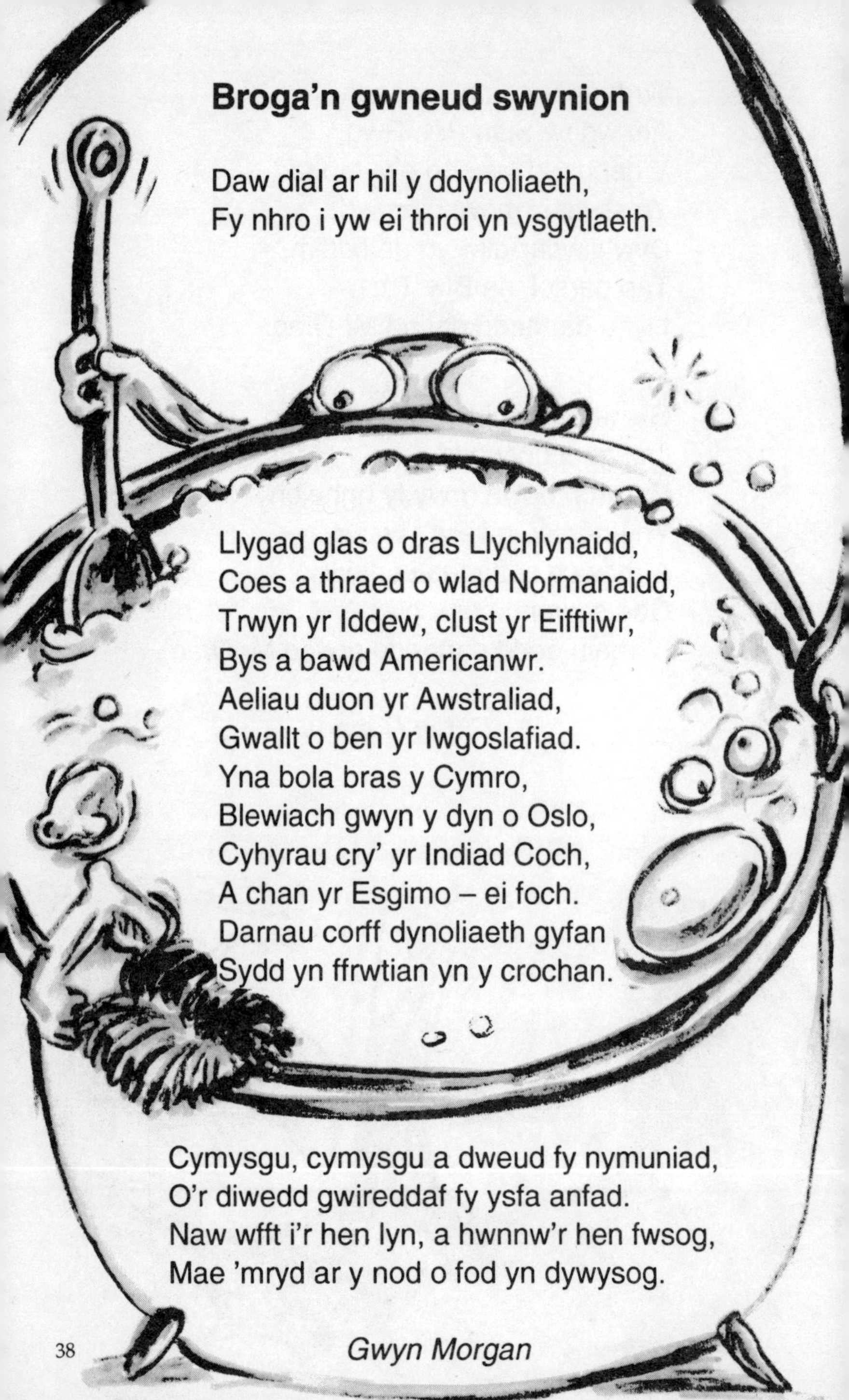

## Broga'n gwneud swynion

Daw dial ar hil y ddynoliaeth,
Fy nhro i yw ei throi yn ysgytlaeth.

Llygad glas o dras Llychlynaidd,
Coes a thraed o wlad Normanaidd,
Trwyn yr Iddew, clust yr Eifftiwr,
Bys a bawd Americanwr.
Aeliau duon yr Awstraliad,
Gwallt o ben yr Iwgoslafiad.
Yna bola bras y Cymro,
Blewiach gwyn y dyn o Oslo,
Cyhyrau cry' yr Indiad Coch,
A chan yr Esgimo – ei foch.
Darnau corff dynoliaeth gyfan
Sydd yn ffrwtian yn y crochan.

Cymysgu, cymysgu a dweud fy nymuniad,
O'r diwedd gwireddaf fy ysfa anfad.
Naw wfft i'r hen lyn, a hwnnw'r hen fwsog,
Mae 'mryd ar y nod o fod yn dywysog.



*Gwyn Morgan*

## Wrth aros bws

Llyn o ddŵr a bore gwlyb,
A bws gerllaw *meiledi.*
Un funud mae hi'n sych a chrand,
A'r nesa mae'n diferu!

*Gwyn Morgan*

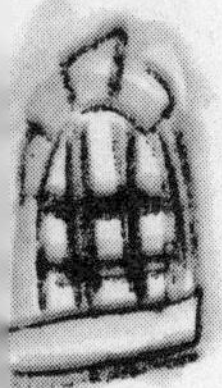

## Stori anhygoel

Un dydd wrth im grwydro drwy gelloedd
Y castell, mi welais focs pren
A'i gaead yn agor yn a . . r . . a . . f
A F-F-Fampir yn codi ei ben!

'Wel,' meddai, 'mae'n dda cael dy gwmni.
Rwy'n llwglyd ers sbel, ydw'n wir.'
A dyma fi'n heglu hi o 'na
A rhedeg, rhedeg yn hir.

Drwy'r tw'llwch, a gweoedd pry-copyn
Yn hongian a chyffwrdd fy mhen,
Ac wrth wibio i lawr rhes o risiau
Dyma faglu ar un, tin-dros-ben.

‘Cym bwyll,’ meddai llais wrth fy ysgwydd
A dyma fi’n mentro rhyw droi,
A’i weld o yn dynn wrth fy ysgwydd
A minnau heb unman i ffoi.

A dyma law denau’n crafangio
A chydio’n fy nghoes, wir i chi,
A thynnu a THYNNU a THYNNU –
Yn union fel gwnaf â’th un di.

*Valmai Williams*

# E.T. Evans

Roedd Elin Tomos Evans yn gwylio'r sêr o hyd,
Yn disgwyl yn nosweithiol i long ofod ddod i'r byd.
O'i llofft ym Mro Afallon roedd hi'n treulio pob un awr
Yn gwylio Mars drwy delesgop rhag i'r dynion gwyrdd ddod lawr.
Doedd hi byth yn mynd i'r ysgol, na'r Ysgol Sul na'r Urdd
Dim ond disgwyl am soseri oedd yn cludo dynion gwyrdd.
Ond un noson daeth newyddion a ddychrynodd bawb i gyd –
Roedd U.F.O. 'di cyrraedd – roedd 'na *aliens* ar ein byd.

Ond welodd Elin druan mo'r soser laniodd – SPLAT!
'Chos roedd Elin Bro Afallon, fel ei thŷ, yn hollol fflat!

*Tony Llewelyn*

## Pethau du

Clog gwrach a'i chrochan
A'i chath wrth y pentan,
Nos heb 'run seren,
Cysgod yr ywen.
Parddu'n y simnai
Pwll afon Menai,
Bwrdd du'n yr ysgol
Llawn syms annymunol.
Corneli dirgel,
Cymylau isel
A chymylau uwch.
O ia – a bol buwch.

*Valmai Williams*

## Y briodas

A glywsoch chwi am briodas
A fu'n ein cartref ni?
Fe briododd dau bry copyn,
Wel dyna glywais i.

Gwasanaeth mewn hen debot
Yng nghornel bella'r cwt,
Y briodferch ddaeth ar ddeilen
A'i thad hi wrth ei chwt.

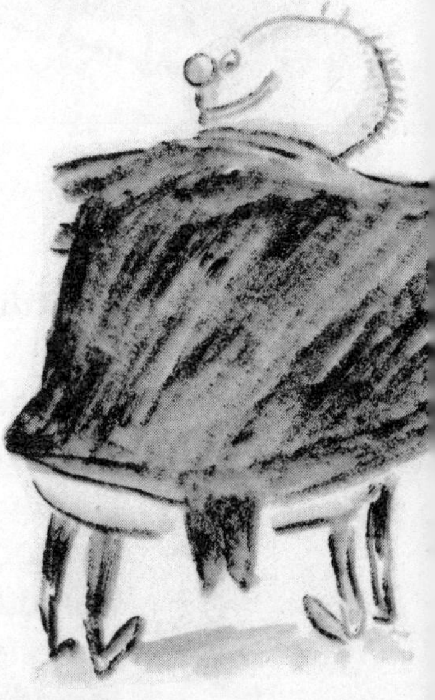

Gwnaed modrwy o ben nodwydd
A'r blodau – dant y llew;
Roedd hi mewn ffrog croen afal
A fo mewn côt fawr dew.

Cacynen oedd y gw'nidog
Mewn siaced ddu a gwyn
A chwannen wrth yr organ
Yn eistedd ar hen dun.

Fe gafwyd gwledd ardderchog
O bryfed o bob math
A morgrug mewn saws glaswellt
A chwain o glust y gath.

Fe gaed mis mêl godidog
Yn teithio rownd y tŷ
Mewn car o groen banana
A charafán fach ddu.

Mae'r ddau bry copyn yma
'Rhapusaf yn y byd;
Boed bendith ar eu gwëad
A'r teulu bach i gyd.

*Eilir Rowlands*

## Eira ola'r gaeaf

Llygaid gaea
Llygaid oer
Yn dal i rythu
Fel dau loer.

Llygaid llonydd
Llethrau Mai
A'r Ionawr ynddynt
Ddim mymryn llai.

Llygaid eira
Gwyn a glân,
Gwyn digannwyll,
Gwyn di-dân.

Llygaid effro
Y Glyder Fawr,
Pam nad ân' nhw
I gysgu'n awr?

*Myrddin ap Dafydd*

## Sgrech y cawr

Yng nghanol coedwig unig
Ymhell o olwg byd
Mae cartref y cawr olaf
Sy'n dal yn fyw o hyd.
Ar ddiwrnod ei de parti
Pen-blwydd yn gan mlwydd oed
Mi gafodd yntau'r ddannoedd,
Y waethaf fu erioed.
O geg mor fawr ni allai
Y deintydd dynnu'r dant,
Heb rwymo rhaff amdano,
A gosod hanner cant
O ddynion cadarn cryfion
I dynnu am dair awr,
A'r cawr yn gweiddi: 'Mami,
Mae gen i bopo mawr'.
Pan ddaeth y dant o'i enau
Fe syrthiodd ar ei droed,
Mae'r cawr yn dal i sgrechian –
Fe'i clywais yn y coed.

*Edgar Parry Williams*

## Fy nghefndar

Mae 'nghefndar bach yn hogyn mwyn
sy' byth yn rhegi, byth yn dwyn,
er hynny, rhaid 'mi ddeud 'y nghwyn,
mae'n methu stopio pigo'i drwyn!

Un tro, bu'n twrio efo'i fys
yn nhrwyn fy nghefndar arall, Rhys!
Mi dynnodd fỳch, yn fawr ei flys,
a'i gael i'w swpar efo pys!

Aeth wedyn at drwyn Anti Jên,
gan bwyso trosol ar ei gên
a cheibio allan rhywbeth hen
– a'i lyncu'n gyfan, efo gwên!

Ar ôl ei deulu, bob yn gant,
at anifeiliaid aeth ei chwant
ond dysgodd wers; nid chwara plant
yw pigo trwyn hen eliffant!

Wrth gwrs, mi aeth ei fraich yn sownd
yn nhrwnc 'rhen Neli, aeth hi'n flin;
fe'i troellwyd yntau rownd a rownd;
a'i chwythu draw i Aberdeen!

*Ifor ap Glyn*

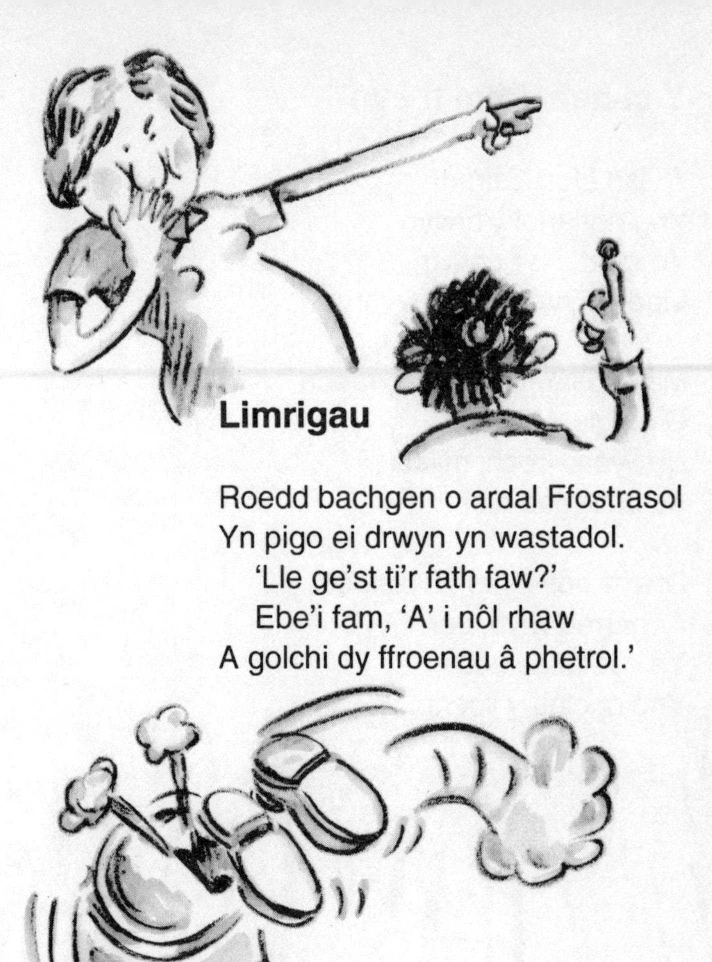

## Limrigau

Roedd bachgen o ardal Ffostrasol
Yn pigo ei drwyn yn wastadol.
  'Lle ge'st ti'r fath faw?'
  Ebe'i fam, 'A' i nôl rhaw
A golchi dy ffroenau â phetrol.'

Roedd dyn bychan, bach o Japan
Yn teimlo'n ofnadwy o wan.
  Wrth yfed ei Bepsi
  Pesychodd a phoeri,
Disgynnodd drwy'r twll mewn i'r can.

*Eilir Rowlands*

## Y ci heb ddim trwyn

Ar lan afon Ystrad
Yng nghanol y brwyn
Yn swatio o'r golwg
Mae'r ci heb ddim trwyn!

Mae'i ddannedd yn cyrraedd
O un glust i'r llall,
Un llygad coch, milain
Ac un llygad dall.

Drwy'r nos bydd yn eistedd
Ar garreg wlyb, oer
Yn coethi ac udo
Yng ngolau y lloer.

rwwwyyn, Trwwwyyn,
am na che's i drwwwyyn?
ae'n amhosib hela
;nad oes gennych drwwwyyn.'

lae'n ymlid ei gynffon
n gynt ac yn gynt;
)i o byth yn dal cwningen –
lae'n byw ar y gwynt!

.ofalwch chi symud
el llygod drwy'r brwyn –
hag ofn i chi ddeffro
ci heb ddim trwyn!

*Dorothy Jones*

## Cinio cawr

'Sgyrnygodd ei ddannedd,
Agorodd ei geg,
Glafoeriodd yn ffiaidd
A bloeddiodd reg.
Rhoddodd lyfiad 'sglyfaethus
I'w wefusau llawn,
Estynnodd am fowlaid o – fefus a grawn.
'Nid pob cawr sy'n bwyta plant bach, wyddoch chi,
Mae'n gas gen i'r rheiny. Llysieuwr wyf i!'

*Lis Jones*

## Snotyn

Mae Dafydd bach yn rowlio
Y snotyn gwyrdd o'i drwyn o,
Ac wedi i'r bêl galedu'n grwn
Bydd hwn yn siŵr o'i fflicio.

*Gwyn Morgan*

## Rhybudd i gowbois beidio byta gormod o ffa

Pan fyddo'r cowboi bychan
Yn reidio ar y paith
Mae'n ffeindio lle bach tawel
I orffwys ar ei daith.
Mae'n edrych 'mlaen am swper
Wrth glymu'i geffyl gwyn;
Mae eisiau bwyd
Ond yn troi yn llwyd
Wrth iddo agor tun . . . o . . .

Ffa! O na!
Pob gwanwyn, hydre, gaea neu ha!
Ffa! O na!
Dydi gormod o ffa
Ddim yn beth da!

Mae pawb yn ofni'r cowboi
Sy'n reidio mewn i'r dre,
Ei het fawr dal a'i ynnau
Yn barod yn eu lle.
Ond gwenu'n braf a chwerthin
Wna pob rhyw Jake a Chlint
Wrth weld y cowboi bychan
Yn gorfod pasio gwynt.

Ffa! O na!
Pob gwanwyn, hydre, gaea neu ha!
Ffa! O na!
Dydi gormod o ffa
Ddim yn beth da!

*Dyfan Roberts*

## Dad! Mae ’na rywbeth dan y gwely

‘Dad! Mae ’na rywbeth dan y gwely!
Mae o’n symud ’nôl a ’mlaen
A gwneud ’mi grynu!
Mae ’na law sy’n llawn o waed
Bron â gafael am fy nhraed!’
‘Yli, gorwedd ’nôl Cai bach, a thria gysgu.’

‘Dad! Mae hen wrach yn crafu’r gwydr!
Ganddi winedd miniog hir a bachau budur!
Sbiwch fan’cw – dacw hi!
Mae’n dod mewn i ’nghrafu i!’
‘Yli, Meri, mwy o ffisig i’r cr’adur.’

‘Dad! Mae pry copyn wrth y gole!
Mae ei flew o’n goch a du, a deg o goese!
Mae am gripian lawr o’r to
Mewn i ’nghlust i, medde fo!’
‘Argol hogyn, tydi’n bump o’r gloch y bore!’

‘Dad! Mae ’na lyffant mawr yn padlo!
Mae o efo fi fan hyn! Dwi’n teimlo’i drwyn o!
Mae o’n wlyb fel lwmp o does!
Mae o’n trio byta ’nghoes!’
‘O, ’na’i diwedd hi! Mae’r botel boeth ’di byrstio!!’

*Dyfan Roberts*

## Sanau Dad

Dylai sanau Dad gael arwydd mawr arnynt!
PERYGLUS!
Anaml iawn,
bydd Dad yn newid ei sanau.
Clywaf Mam yn gweiddi arno:
'George! Newidia dy sanau,
er mwyn y mawredd,
neu byddan nhw'n cerdded
hebddot ti cyn bo hir'.
Dychmygaf hwy'n disgyn o'r llofft,
gris
    wrth
        ris
nes cyrraedd y gwaelod,
pipo o gylch y drws
i weld a oes rhywun yno,
rhag ofn,
rhag i rywun eu gweld,
rhag i'n llygaid ni
darfu ar eu traws.

Gwelaf hwy,
y ddwy,
yn dawnsio dawns y glocsen,
yn ein cegin.
I fyny ac i lawr yr ânt,
mewn rhythm –
un yn gwybod yn union
beth mae'r llall yn ei wneud.
Wedyn,
neidiant o'u bodd
i'r peiriant golchi,
a gwneud dawns arall,
dawns gylch
nes cicio dillad isa Mam,
a blows fy chwaer
i ebargofiant.

*Gwyn Morgan*

## Mawr a bach

Mi welais ffilm am gr'adur
Bron iawn 'run faint â'r Wyddfa,
Roedd Mam 'di dychryn drwyddi
A'i dwylo dros ei chlustia.
Ond dwedais wrthi, 'Paid â chrynu,
Mae rhai fel hwn 'di hen ddiflannu'.

Mi welais ffilm am gr'adur
Sa'n ffitio'n dda'n fy mhoced,
Mi brynais un, ond aeth fy mam
Drwy'r drws ar wib fel roced.
Ond dwedais wrthi, 'Paid ag ofni:
Dim ond llygoden fach sydd gen i'.

*Valmai Williams*

## Oes raid imi gael bàth?

Na, dydw i'm yn fudur
Dwi 'di bod yn rhy brysur
I faeddu fy hun yn y baw;
Mae 'nghlustiau'n o-cê
A does dim o'i le
Ar gael beiro ar draws cefn fy llaw;
Fues i'n tŷ drwy'r pnawn:
Mae 'mhengliniau i'n iawn
A 'ngwyneb yw'r glanaf a gaed;
Does 'na ddim rhyw hen lol
Yn fy motwm bol
Na stwff du rhwng bysedd fy nhraed . . .

Na, 'sgen i'm ofn dŵr . . .
Wel, nag oes siŵr . . .
Mae 'na beth baw na ddaw o byth o'na.
Plis, am y tro,
Ga i ei hepgor o
Neu mi reda i o fa'ma i Verona . . .

Achos welaist ti be?
Welaist ti be?
Welaist ti be sy 'ngwaelod y bàth?

*Myrddin ap Dafydd*

## Cwningod

Roedd 'na wyth cwningen fechan ar y ddôl,
ond lladdwyd un gan lwynog
a dim ond saith oedd ar ôl.

Roedd 'na saith cwningen fechan ar y ddôl,
ond cipiwyd un gan gudyll
a dim ond chwech oedd ar ôl.

Roedd 'na chwe chwningen fechan ar y ddôl,
ond rhwygwyd un gan ffwlbart
a dim ond pump oedd ar ôl.

Roedd 'na bump cwningen fechan ar y ddôl,
ond gwasgwyd un gan garlwm
a dim ond pedair oedd ar ôl.

Roedd 'na bedair cwningen fechan ar y ddôl,
ond saethwyd un gan ffermwr
a dim ond tair oedd ar ôl.

Roedd 'na dair cwningen fechan ar y ddôl,
ond darniwyd un gan dylluan
a dim ond dwy oedd ar ôl.

Dim ond dwy gwningen fechan oedd ar y ddôl,
ond cyn pen dim o amser
roedd 'na WYTH yn ôl!

*Margiad Roberts*

## Erchyllbeth!

Agorais y drws a daliais fy ngwynt,
fy nghalon yn curo yn gynt ac yn gynt . . .
ac yna fe'i gwelais yn union o'm blaen
yn fawr ac yn flêr, yn hyll a phlaen.

Roedd ganddo ben fel broga, wyneb twrci,
clustia mul a breichia mwnci,
gwddf fel jiráff a dannedd ffurat,
bol fel morlo a llygaid wombat,

traed fel chwadan a chynffon ci.
Ond 'rhoswch am funud, mae o'n f'atgoffa i . . .
A dyna fi'n sylwi ar fathodyn yr Urdd
oedd ar frest yr anghenfil yn goch, gwyn a gwyrdd.

Mae gen i un fel'na, un union 'run fath,
heb sôn am y crys ac arno lun cath;
a dwi'n nabod y sana, ac ar fy llw,
dyna'r bag llaw brynais yn y sw!

Whiw! Chredwch chi fyth y gollyngdod ge's i
pan sylweddolais mai'r erchyllbeth oeddwn i;
a chwarddais a chwarddais o flaen y drych
nes ro'n i'n llonydd a llipa a gwan fel brych.

A meddyliais mor wir y ddihareb,
wrth edrych ar fy llun:
pan fyddwch yn ofni beth welwch
fedar o byth fod yn waeth na chi'ch hun!

*Margiad Roberts*

## Yn stumog fy mrawd

Yn stumog fy mrawd ar hyn o bryd,
Mae cig moch ac wy, y brecwast i gyd,
Cornfflecs, llaeth, tost a the,
Darnau o farmalêd yn troi hyd y lle.
Ac wedyn mae creision corgimwch a chôc,
Darnau o siocled, bisgïen – dim jôc,
A nawr mae'i ginio yn gymysgfa fawr,
Sglodion, eidionyn yn troi yn awr.
Mae cwstard a jeli a chyrri poeth,
Twmpath o reis. O ydy e'n ddoeth?
Ond toc wedi naw, ymddangosodd fy mrawd,
Yn welw i gyd, yn edrych yn dlawd.
Ac yna yn sydyn roedd e'n sic dros y gath,
Dyw Pwsi erioed wedi bod yr un fath.

*Gwyn Morgan*

## Yn gynt na . . .

Mae cath yn gynt na chrwban,
A *cheeta'n* gynt na'r hydd,
Ond y cyflymaf yn y byd
Yw 'mrawd â dolur rhydd.

*Gwyn Morgan*

# Rysáit cacen ycha bycha sglyfiog

*Cynhwysion:*
Hanner pwys o glustiau mochyn,
Llond llwy fwrdd o ddannedd du,
Pedair owns o boer Rottweiler,
Llond llwy de o bî-pî pry.
Pwys go dda o lympia cwstard,
Croen y grefi, dandryff iâr,
Saim o wallt rhyw feicar anferth,
Briwsion o dan sedd y car.

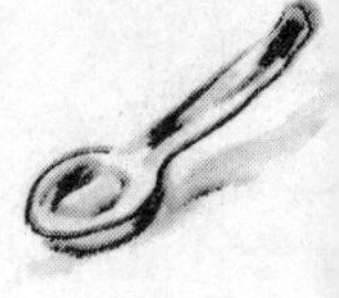

*Dull:*
Rhowch y cyfan mewn bin sbwriel
Yna'i droi â brwsh tŷ bach,
Ar ôl awr neu ddwy o stemio,
Tolltwch o i mewn i sach,
Yna, cneswch y gymysgedd
Dan ben-ôl babŵn o'r sw,
A'i addurno ar y diwedd
Efo llygaid gwdihŵ.

Dyna ni, bwytewch y gacen
Efo dannedd gosod Nain,
Tatws gwyrdd a chabaitsh drewllyd,
Malwen fawr a choesau chwain.

Mwynhewch!

*Caryl Parry Jones*

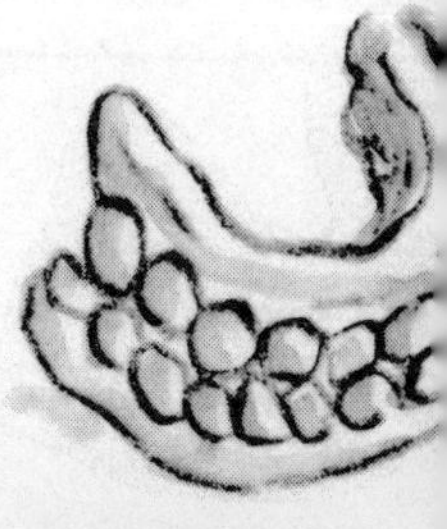

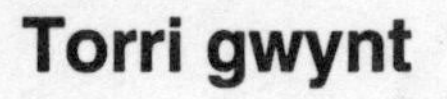

## Torri gwynt

Daeth gwich o ben-ôl Huw un diwrnod,
'Rôl bwyta llond plât o basteiod,
    Newidiodd ei wedd
    A chododd o'i sedd
A diflannu yn araf i'r gofod.

*Gwyn Morgan*

## Dost

Does dim i'w wneud ond gorwedd
A chyfri'r smotiau coch,
Mae un deg dau ohonynt
Yn swatio ar bob boch.

Mae'r haul yn gwenu'n greulon,
A sŵn y plant o'r stryd,
A llithro rwyf i drymgwsg
O dan y garthen glyd.

Yn sydyn, fi 'di'r *siryf*
Sy'n gwisgo'r seren glaer,
A fi 'di'r gyfraith yma,
Y fi a'm ffrind y Maer.

Mae rhywun yn fy siglo,
O! Mami ydi hi,
Oes rhaid i *siryf* lyncu
Y moddion ych a fi?

*Gwyn Morgan*

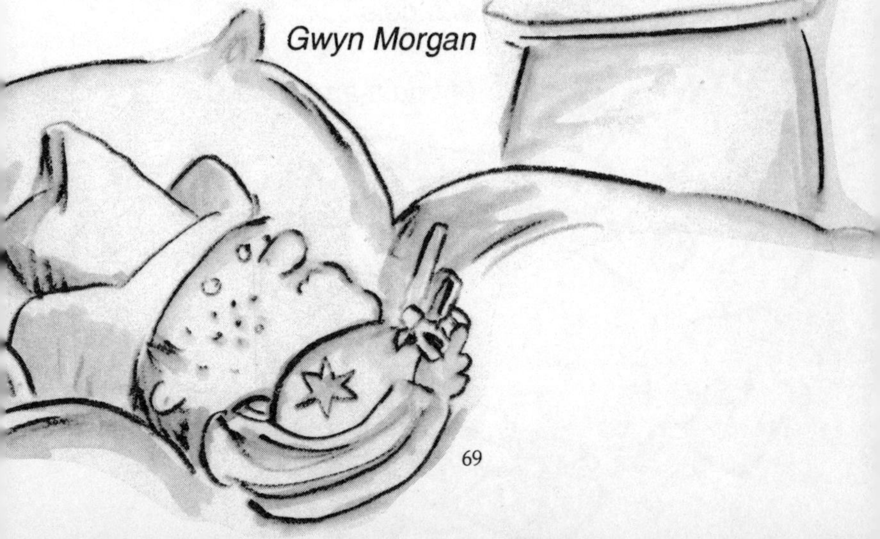

## Mewn siop anifeiliaid anwes

Pry copyn tew
yn crafu'i flew.
Ych!

Sarff slei, streipiog
yn tynnu tafod fforchiog.
Ych!

Sgodyn du
yn tyfu plu.
Ych!

Llygod trwynau main;
powdwr chwain.
Ych!

Sgorpion liw y gwyll
yn hercian yn ei hyll.
Ych!

Ych! Maen nhw'n neis.

*Myrddin ap Dafydd*

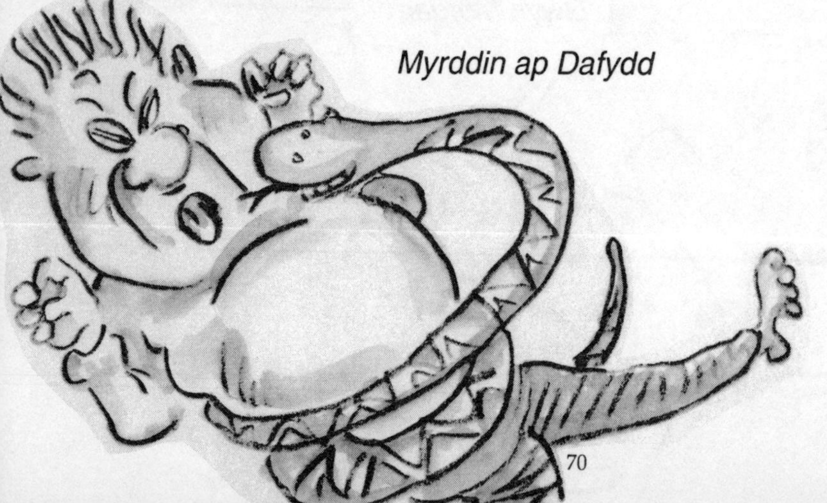

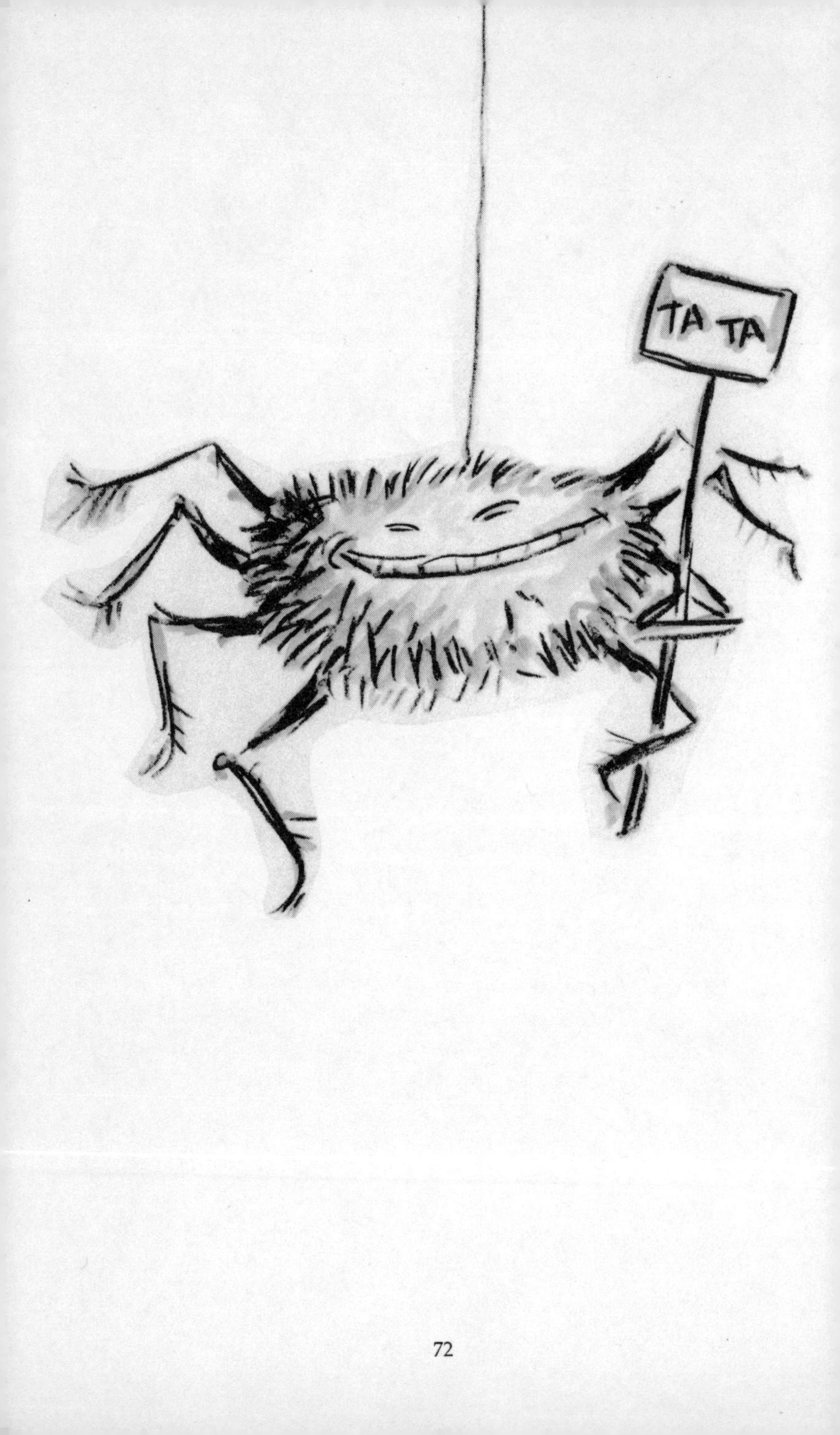
TA TA